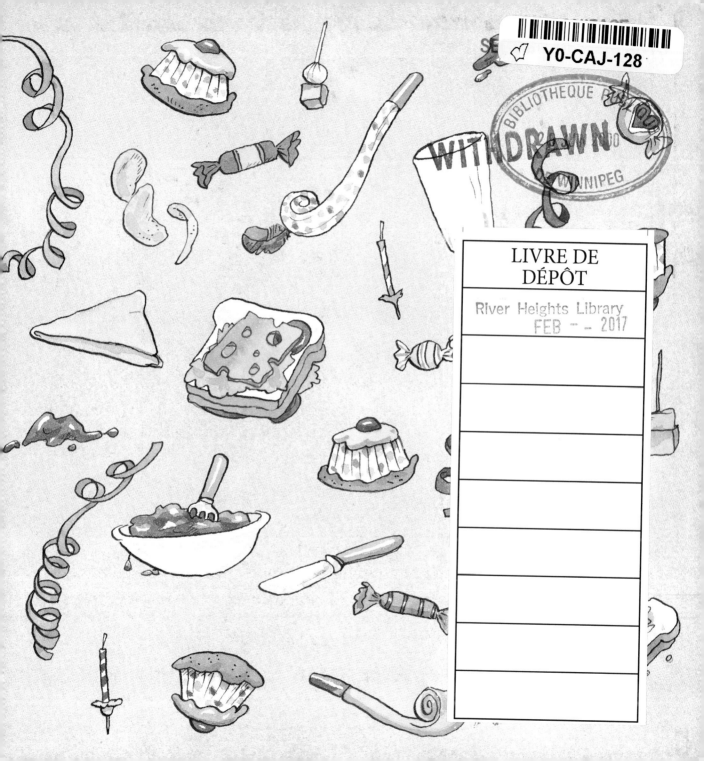

Adaptation française de Justine de Lagausie
Texte et illustrations d'Anita Jeram

Première édition française 1998 par Librairie Gründ, Paris

© 1998 Librairie Gründ pour l'adaptation française
ISBN : 2-7000-4386-3
Dépôt légal : mars 1998

Édition originale 1998 par Walker Books Ltd
sous le titre *Birthday Happy Contrary Mary*

© 1998 Anita Jeram
Photocomposition en Tekton et Stempel Schneidler
par L'Union Linotypiste, Paris
Imprimé à Singapour

Loi n° 49-956 du 16 juillet 1949 sur les publications destinées à la jeunesse.

Bon anniversaire Esther tout-à-l'envers

Anita Jeram

GRÜND

Ce jour-là, c'était l'anniversaire d'Esther. «Joyeux anniversaire!» s'exclamèrent son père et sa mère. «Joyeux tous les jours!» répondit Esther. Elle s'enthousiasma pour les cadeaux que ses parents lui offrirent.

«Beaucoup je remercie vous», dit-elle.

Esther sortit pour
essayer ses nouvelles
échasses. Puis elle mit
les animaux qu'on lui avait
offerts dans sa nouvelle casquette.
«Cette boîte fait
un chapeau idéal»,
dit-elle.

Après le déjeuner,
Esther aida sa mère
à préparer le goûter
d'anniversaire.

Elle confectionna des
sandwichs en mettant
la garniture
à l'extérieur et

glaça le dessous
des gâteaux.

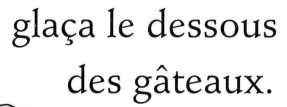

Puis elle monta
dans sa chambre
pour mettre
ses habits
de fête.

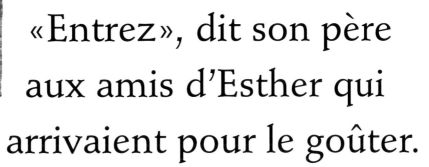

«Entrez», dit son père aux amis d'Esther qui arrivaient pour le goûter. «Et si on jouait à cache-cache?» proposèrent-ils. Ils eurent beau jouer encore et encore, c'était toujours l'incorrigible Esther qu'ils trouvaient la première.

Lorsqu'ils se mirent
tous à danser
au rythme
de la musique,
Esther tout-à-l'envers
s'assit par terre.

Puis, quand la musique s'arrêta et que ses amis s'effondrèrent sur le sol, Esther commença à danser.

À quatre heures, les sandwichs à l'envers eurent beaucoup de succès et tout le monde se mit du glaçage sur le menton en croquant dans les gâteaux. Esther mangea sa glace avec une fourchette et ses amis l'imitèrent.

Puis la mère d'Esther
apporta le gâteau
d'anniversaire.
«Joyeux anniversaire»,
entonnèrent-ils
en chœur.
Mais Esther
n'avait pas
l'air contente
du tout.

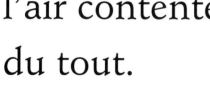

Alors son père eut
une idée…

Il se mit à chanter :
«*Anniversaire joyeux*
Anniversaire joyeux
Esther, anniversaire joyeux
Anniversaire joyeux»
Esther tout-à-l'envers
rit de bon cœur et
souffla les bougies.
Alors tous s'écrièrent :

«Anniversaire joyeux,
Esther tout-à-l'envers!»